U0278086

科学大发现

神奇多样的动物

[美] 保罗·哈里森◎著　许若青◎译

中国少年儿童新闻出版总社
中国少年儿童出版社
北　京

鲁克和他的朋友们

鲁克是一位天才少年，他发明了一款名叫"虫洞"的手机 APP（应用程序）。只要用手机自拍一下，他和朋友们就能一起跨越时空，开启科学之旅。

何敏天资聪颖，甚至可以说是机智过人。她喜欢扮酷，总装作一副心不在焉的样子，其实她对科学有着火一样的热情。

蒋方很幽默，总喜欢胡闹。他的脑子转得很快，随口就能讲出笑话来，这或许是他脑子里装了很多知识的缘故吧。

宁宁是这群伙伴里年龄最小的一个，大家都很照顾她。她热爱运动，无论是跑跑跳跳还是打球，她都很擅长。

比特是鲁克的小狗，它很喜欢跟着大家一起探险。比特天不怕、地不怕，唯独害怕噪声。

目 录

夜间出没的动物

　　"欢迎大家品尝我妈妈的看家手艺——热巧克力。"鲁克彬彬有礼地招待大家。

 1

　　小狗比特抬头看了一眼，然后慵懒地趴在鲁克的脚边，摇了几下尾巴，似乎根本不知道鲁克在做什么。

　　宁宁捧着一杯热巧克力，轻轻地抿了一口："我是头一回这么晚还在朋友家。喝完我就先回去了，要不我爸妈该着急了。"

　　"不过，今天晚上黑乎乎的，雾还挺大的，我陪你一起走吧。"何敏把手搭在宁宁的肩上，"我记得每年秋天我们这里都有一段时间会是这样的。"她朝窗外望去，看到窗户上满是雾气。

　　"鲁克，阿姨做的热巧克力真好喝！"蒋方一边说，一边又咕咚咕咚连喝了几大口。

　　突然，比特的两只耳朵抽动起来，叫了几声。

　　"怎么了，比特？"何敏把目光转向比特。

　　没等大家反应过来，比特猛然跳了起来，只见它毛发竖起，鼻子抽动，龇出尖牙，对着门口一阵狂叫。鲁克见状赶紧放下杯子，跑到比特旁边。

　　"怎么了，小家伙？"鲁克踮起脚，擦了擦换气窗上的雾气，朝外面望去。他倒吸了一口冷气，"啊，我觉得外面好像有什么东西……在动！"

"也许是猫吧……没什么可大惊小怪的。"蒋方不以为意。

"我觉得比特的反应有点儿奇怪……我想咱们也许应该出去看看。"宁宁说。

"你说的对。走,我们去看看。"鲁克给小狗比特系上犬绳,然后拿起手电筒走了出去。何敏、蒋方和宁宁紧随其后。

大家的视线随着手电筒的光柱扫描起来。当光柱对准花园的一个角落时,何敏轻声地说:"在那儿!"

"个头儿可真不小!"宁宁说。

"在哪儿呢?我怎么什么都没看到?!"蒋方喊道。

"嘘——小点儿声!就在那里呢。"鲁克把声音压低,抬起手指向一个移动的黑影,"它的个头儿太大了,好像不是猫,更像是一只野生动物。"

那东西似乎发现了大家,一阵寂静过后,伙伴们惊讶地看到一双眼睛在手电筒光线的照射下格外明亮。紧接着,伴随着一阵嘈杂声,那只神秘的动物翻出了栅栏,显然是受到了惊吓。

"哇,它的动作可真快!"蒋方说。

"那是什么动物?"宁宁问。

"不知道。我想还是明天再说吧,白天更容易找到线索。"

鲁克说。

第二天，小伙伴们早早地集合，一同前往鲁克家的花园寻找昨晚那只动物留下的印记。不过，令人遗憾的是，除了角落里一株被踩坏的植物和栅栏上的抓痕，再没有其他异常。

"连一个完整的脚印都没有找到……"宁宁说。

"好像也没有留下粪便。"蒋方说。

何敏听到"粪便"，对着蒋方皱了下鼻子。

蒋方大声说："难道我说的不对吗？人们在寻找动物踪

迹的时候，经常将粪便作为佐证的依据。对吧，鲁克？"

鲁克点点头，说："是的。动物的排泄物，或者说粪便，能帮助我们确定动物的种类。"

"就算是这样，咱们在吃早餐之前也别再说粪便了，好吗？"何敏嫌弃地说。

正在这时，鲁克爸爸已经准备好了丰盛的早餐，招呼大家进屋。

"早饭有煎饼和鸡蛋。"鲁克爸爸说，"今天你们打算做些什么呢？"

"我什么都不想做，我只想发一天呆。"蒋方说。

"去玩轮滑吧。"宁宁提议。

"或者看场电影怎么样？"何敏说。

"快看啊！"鲁克打断了大家的话，他拿起今天的早报，大声读起报纸上的头条消息——神秘动物潜行，骚扰临近住宅区，"接到多名居民举报，昨天夜间发现不明动物闯入自家花园。据目击者描述，该动物外形近似美洲豹、郊狼或者巨型浣熊，曾出现在周边的公园、街道、湖畔、森林保护区等地……"

"同一只动物怎么会看起来又像美洲豹，又像郊狼，又像浣熊呢？看来大家的眼神都不太好。"何敏皱着眉头说。

"不过，说句公道话，这几天晚上的雾气确实很大。"鲁克爸爸和蔼地解释道。

"我敢肯定，那就是一只流浪猫。在雾气重重的晚上，猫的样子看起来总是怪怪的。"蒋方颇为自信地说。

"我想，咱们要是能找到这只动物，一定也能上头条。"鲁克拍了两下报纸。

"行啊！事不宜迟，咱们赶快出发，去找找它吧。"

"要时刻保持警惕！如果出现什么情况，一定要和野生动物保持距离。"鲁克爸爸提醒大家。

早餐过后，大家计划先到社区周围进行调查。他们带了一些零食和水。鲁克在手机上下载好了周边地区的地形图和交通图，鲁克爸爸拿出一本有关本地野生动物的图鉴。

"也许咱们还应该带点儿猫粮。"蒋方建议。

"那肯定不是猫！"何敏不耐烦地说。

"蒋方说的也有点儿道理。带点儿吃的作为诱饵还真可能有用。"鲁克说，"咱们要不带一些比特的狗粮吧？希望你不会介意，小家伙。"

鲁克把3罐狗粮罐头塞进背包。比特对着他呜呜叫了几声，

看起来有些不乐意。

"出发！"宁宁兴奋地喊道，"那么，咱们先去哪儿呢？"

"先去森林保护区吧？"鲁克指着地图上一块绿色区域，对大家说，"按照报纸上说的，这里距离发现过野兽出没的居民区很近，咱们很快就能到那里。"

"同意，说不定这只动物是白天在森林保护区休息，晚上出来找食物吃呢。"何敏说。

蒋方和宁宁赞同地点点头。

在接下来的一整天里，小伙伴们几乎走遍了森林保护区的每个地方，大家发现，观察得越仔细，找到的动物痕迹就越多。在泥泞的池塘边，他们找到了鹅的脚印和松鼠啃了一半的坚果壳；在干枯的树干上，黏液显示出了鼻涕虫的爬行路线；旁边的羽毛和脚印则告诉大家狐狸曾经在这里进行捕猎，并饱餐了一顿。不过，除了狐狸，其他几个应该都不是他们要找的神秘野兽。

"或许咱们应该用食物把它引到空地上来，这样咱们就能看到它了。"蒋方说。

鲁克用盘子盛了一些狗粮放在空地中央，然后和大家一起躲到了大树的后面。

没过多久，几只乌鸦飞落下来，三下两下就吃光了盘子里的狗粮。

大家多少都有点儿灰心。

正在这时，宁宁突然指着路旁一块泥泞的地面喊道："嗨，快过来看！"

其他小伙伴赶忙跑过去。

"这是啥？"蒋方问。

"一个脚印啊。"宁宁说。

"你确定吗？"何敏眯起眼睛来回端详。

宁宁用手指勾画泥地里那个印记的形状："看，这是脚掌，这几个是脚趾。让我数数……嗯……有5个脚趾。"

蒋方说："这和我见过的脚印不太一样。为什么这个脚

趾和其他几个脚趾距离那么远啊？"

鲁克把本地野生动物图鉴翻了个遍，喃喃地说："书里没有哪种动物的脚长成这样。宁宁，说不定你真的发现了神秘野兽呢，哈哈。"

"也可能只是在泥里发现了几个普通的小坑。"何敏说。

"不管怎样，让我先拍张照片。"宁宁一边说，一边用手机拍照记录。

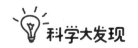

远古海洋世界

往回走的路上，蒋方说："仔细想想，咱们今天的经历真是挺神奇的。"

"有什么神奇的啊？一整天低着头找脚印，累死了。"何敏抱怨道。

"想想看，咱们今天看到了很多很多动物呢，有乌鸦、松鼠、青蛙、狐狸和各种各样的虫子……哦对，还有留下了那个脚印的神秘野兽……而且，这还只是今天发现的。如果放眼整个地球，那得有多少种动物啊？大自然真是不可思议！"

宁宁说："我倒是觉得，在最开始的一段时间，地球上的物种肯定没那么多，是随着时间的推移、环境的变化，慢慢演化出越来越多的物种。我说的对不对，鲁克？"

鲁克点点头，表示赞同："我记得，还真有个地质年代出现了物种大爆发呢……"他忽然停了下来，一字一句地说道，"我想，咱们可以去看看那个年代呀。"

"虫洞！"何敏激动得叫起来。

　　"你们还记得怎么用它吧？"鲁克一边说，一边掏出手机，打开"虫洞"应用程序，"看清楚自己在不在镜头里啊，我要按快门了！"

　　听到鲁克这么说，伙伴们赶忙紧紧凑到一起，鲁克确认一切正常后按下了拍摄键。

　　一道闪光！

　　时空转换——

　　闪光过后，周围的景象变成了海底世界，小伙伴们像鱼儿一样在水中游来游去。大家发现，在他们周围有各种奇奇

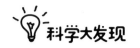

怪怪、叫不出名字的动物：有身体表面布满尖刺的蠕虫，有酷似飞盘的鱼儿，还有灯笼形状的水母……

何敏、蒋方和宁宁屏住呼吸，生怕呛到水，何敏的脸都憋得有点儿发紫了。鲁克见状赶紧说："没事儿的，我们是可以呼吸的。别忘了，我们只是在虚拟世界中，不是在真的海里。"

蒋方马上张开嘴，大口大口地呼吸起来。一串虚拟气泡从他嘴里冒了出来。

"这是在哪里？"

"这就是你说的那个地质年代？"

鲁克说："哈哈，我们是在5.4亿年前的寒武纪。这个时期，在海洋以外是没有生命的。"

"5.4亿年前？那可比恐龙生活的年代还要早呢！"蒋方惊讶地说。

"这就是演化的力量！演化是生物长期发展和变化的结果。经过演化，它们甚至能变成一个全新的生物和物种。"鲁克解释道，"演化的过程十分漫长，所以咱们得选一个距离咱们非常远的年代，这样才能更加直观地感受到演化的神奇。"

"那为什么选择寒武纪呢？"宁宁问。

　　鲁克解释道："寒武纪是生命演化过程中最重要的时期。在寒武纪之前，地球上都是一些细菌、藻类这种结构简单的生物。但是到了寒武纪，地球上的生物在2.5万年间便神奇地发展出前所未有的身体结构！科学家把这个时期称作寒武纪生命大爆发。"

　　"仅仅2.5万年？这个时间听起来可不短呢！"蒋方笑起来。

　　"从地质年代的角度来看，这真的很短，相信我！"鲁克解释道。

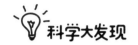

"可生物为什么会在这个时期突然变化呢？"宁宁问。

"这个嘛……科学家也没有给出定论，不过根据大家的分析，很可能与当时地球大气和海洋中氧的含量增加有关系。"鲁克不慌不忙地解释道，"一些科学家还认为，生命的演化可能发生在更早的时候，只不过在寒武纪之前留下的化石不多而已。"

"化石？是那些有动物遗骸的石头吗？"

"可以这么说，化石就是地壳中保存的属于古地质年代的动物或植物的遗体、遗物，研究化石能帮助我们更加直观地了解生物的演化。"鲁克接着说，"无论如何，和咱们同一时代的动物都是起源于这里的。我们看到的这些生物应该是它们的曾曾曾曾曾……好多好多代以前的……曾曾曾曾曾祖父祖母。"

"你确定吗？刚才我们看到的那些动物，除了水母以外，我一个也叫不上名字。"宁宁表示怀疑。

这时，一个蠕虫样子的生物从大家脚下的泥土中窜过，卷起一团泥雾。大家看到，这个动物身体扁平，身上有背甲和背沟。

"那是三叶虫，和我们今天的昆虫和蜘蛛等节肢动物是

亲缘物种。还有那个，是舌形贝，和现在的蛤蜊等贝类动物是亲戚。"

"那人类的祖先在哪儿？"蒋方问。

鲁克四下寻找，忽然看到水草间游过来一条又细又长的"鱼"，它个头儿不大，很像现在的鳗鱼，"这是一种脊索动物，它是所有脊椎动物的祖先。要知道，脊椎动物包括鱼类、鸟类、爬行动物、两栖动物和哺乳动物……我们人类也在其中。"

"嗨，小家伙，你一定要长命百岁，多子多福呀。"蒋方轻声对它说。

正在这时，突然游过来一个大家伙，个头儿有比特那么大，样子很像虾。没等大家反应过来，它就一口把那只脊索动物吞到了肚子里。

蒋方惊叫道："不！人类、文明、漫画、足球……全没啦！"

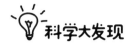

"别担心，这里还有好多脊索动物呢！"鲁克笑了起来。

宁宁问："刚才那个像大虾一样东西是什么？"

鲁克回答道："那是奇虾，它可是寒武纪海洋里的主要捕食者之一。"

这只奇虾似乎"听"到了鲁克的声音，它迅速拍打身体两侧船桨一样的部分，来到几个小伙伴身边，瞪着鼓鼓的眼睛好奇地打量他们。

"鲁……鲁……鲁克，你……确定咱们在这里是安全的吗？"蒋方打了一个冷战。

鲁克说："哈哈，虽然'虫洞'是绝对安全的，但我也不想在这里待着了。"

说着，鲁克按下手机上的退出键。

关于腿的猜想

在回家的路上，宁宁忽然说："我们刚才说脊椎动物包括鱼类、鸟类、爬行动物、哺乳动物什么的，可是人们为什么要这样给动物分类呢？如果按照动物的行动方式来分，比如飞行类、奔跑类、跳跃类、爬行类、游水类什么的，这样是不是也可以呢？"

"或者，可以根据动物的居住地点来给它们分类？比如森林动物、海洋动物、沙漠动物、热带雨林动物……"何敏也来了兴致，加入讨论。

蒋方也跟着说："或者……还可以……根据它们长几条腿来分？比如双足动物、四足动物、六足动物、八足动物什么的。"

"蒋方，要是按照你说的，蛇算是哪一类呀？"何敏笑着问道。

蒋方不假思索地回答道："无足类！"他用手臂做出蛇的模样，一副对自己刚才的回答很满意的样子。

鲁克也凑了过来："我觉得这些分类方法都挺好的。不过，

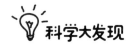

在很久以前，人们就思考过用何种方法给动物分类。据我了解，最早尝试给动物进行系统分类的人好像是亚里士多德。你们要是愿意，咱们可以去见见他……"

"是那位古希腊著名的科学家吗？好啊，那个时代肯定要比寒武纪安全得多。"蒋方说。

大家凑在一起，准备自拍。

一道闪光！

时空转换——

这次，大家来到了一片艳阳高照的沙滩。旁边的大石头上坐着一个人，他留着络腮胡，身穿宽大的衣服，正在把手中的渔网撒向水面，似乎要捕捉些什么。

"您好，请问您是亚里士多德吗？"鲁克问。

"是我。"他放下渔网，满脸微笑地说，"你们找我有事吗？"

"我们想向您请教一下，如何给动物分类。"宁宁说。

"是的，您是依据什么把动物分成不同类别的呢？"何敏问道。

亚里士多德眼前一亮："这是个绝好的问题！这个问题我已经思考了很多年。最开始，我是按照动物的行动方式对

它们进行分类的，比如爬行动物、飞行动物、游泳动物等，这种分类方法非常直观……"

宁宁开心地笑了起来，神气地说："看，我和亚里士多德想到一起了！"

"孩子，听我说……我思考得越深，就越发现这种方法存在问题。"亚里士多德接着说，"比如青蛙，它既会游又会走；而鸭子，不仅会游会走，还会飞呢……"

宁宁兴奋的神情黯淡了下来。

"那么，还有其他分类方法吗？"鲁克问。

"是不是可以用腿的数量来划分呢？"蒋方满怀希望地问。

"不是的，我后来考虑用血液来分类。"亚里士多德说。

"用血液分类？"

亚里士多德熟练地用渔网捞起一只螃蟹："你们看，它身体里的

液体并不是血液，这样的动物还有蜘蛛、甲虫和蜗牛等，它们身体中流动着的液体，或者是透明的，或者是黄色、绿色、蓝色的。所以，我就尝试先把动物分为有血动物和无血动物两大类……"

鲁克转过头，轻声对大家说："这个方法已经和现代分类方法别无二致了。现代科学家把动物分为脊椎动物和无脊椎动物两大类，脊椎动物体内流动的是血液，而无脊椎动物体内流动的是血淋巴。"

"……在有血动物里，有四足的、生产活体幼崽动物，我称它们为温血动物……"

"就是我们现在说的哺乳动物。"鲁克小声说道。

"对了，他刚刚说到了四足，也就是腿！"蒋方激动地说。

"……鸟类虽然也有血液，但它们是两足的、产卵的动物，所以我把它们安排到一个独立的种类。此外，还有 4 条腿的蜥蜴和青蛙，以及没有腿的蛇和鱼，我们还可以继续细分……"

看到亚里士多德完全没有停下来的意思，鲁克赶忙打断他："谢谢您，先生！您对我们帮助太大啦！不过，我们今天还有别的事情，就先告辞了。"说着，鲁克按动手机按键，调整了一下"虫洞"应用程序。

"他可真健谈啊！现在，咱们应该大致了解动物的分类方法了，对吧？"鲁克擦了一把额头上的汗。

"你看，我早就和你们说过腿很重要的嘛！"蒋方兴奋的心情早已溢于言表。不过，他的表情突然凝固了，蒋方看了看四周，惊讶地问："这里是哪儿？我们刚刚不是在森林保护区吗？"

大家这才意识到，他们来到了一片被大雪覆盖的地方，远处零星立着几棵高大的冷杉。

鲁克不慌不忙地说："这里是拉普兰德地区，地处欧洲北部，现在是1732年。我想，这里应该是动物分类学中的又一个具有重要意义的地方。"

远处传来的清脆的铜铃声愈发清晰。紧接着，大家看到一位穿着皮衣的年轻人坐在驯鹿拉着的雪橇上。

雪橇上的人大声说："你们好呀！真没想到还能在这儿遇到人。"

鲁克大声回答，嘴里吐出一团白雾："我们正在找著名瑞典科学家卡尔·冯·林奈先生。"

"我十分著名吗？我怎么不知道？我就是林奈，有什么需要我帮忙的吗？"

　　"您就是林奈啊，太棒了！请问您是如何建立起一整套动物和植物分类方法的呢？"鲁克问。

　　"真是奇怪，你们怎么知道我的研究方向……我就是为了这个才从大老远的地方来到这里的。"林奈很纳闷儿，"我从乌普萨拉出发，一路北上，来到拉普兰德地区考察植物。我打算把考察成果编写成一本专门讲动植物分类系统的书。"

　　"您的这个分类系统和之前的有什么不同呢？"宁宁问。

　　"问得好，年轻的女士。在此前的 2000 多年来，大家一

直在使用亚里士多德的分类方法。他的分类方法虽然科学，但我觉得可能有些过时了。"林奈一边说，一边从包里掏出一个牛皮本，本子里满是考察笔记和动植物素描。他掏出一支铅笔，在本上画了起来："也许，我应该给你们介绍一下这种分类方法。首先，我把动物界分为鸟纲、鱼纲、哺乳纲、昆虫纲、爬行纲、两栖纲，同纲动物的特征基本相同。比如，哺乳纲动物都是恒温动物，它们都能通过毛发和皮肤调节体温，大多通过胎生和哺乳的方式繁育后代。"

"可是，这似乎和亚里士多德的分类方法没什么区别呀。"蒋方疑惑地说。

"你说的对，我承认，在这个层级上，我的方法和亚里士多德的确实很相似。不过，我为每个纲设计了更为细致的分类层次。"林奈继续画了起来，"我们可以用门、纲、目、科、属、种来对动物进行科学分类……"

"有这么多层次呀？"宁宁问。

"是的，因为生命从来都是复杂而多样的。"林奈继续说，"比如这只驯鹿，根据它的繁殖特点，我们知道它属于哺乳纲。当然，它还有其他特点，比如说它的脚……"

"那不是脚，是蹄子！"何敏说。

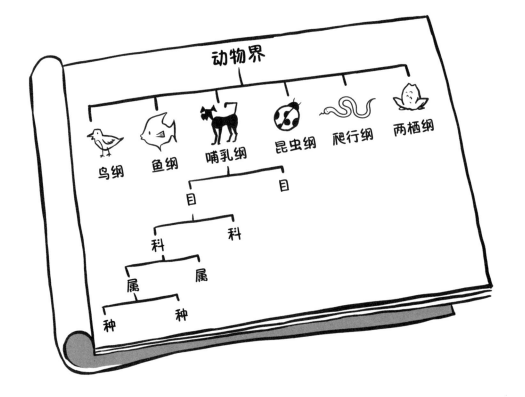

动物界

鸟纲　鱼纲　哺乳纲　昆虫纲　爬行纲　两栖纲

目　目

科　科

属　属

种　种

　　"用词非常准确!"林奈从雪橇上跳下来,蹲到驯鹿身前,"咱们来看看它在站立时如何将身体的重量均匀地分配到第三个脚趾和第四个脚趾上的……"

　　伙伴们齐刷刷地弯下腰仔细观察起来。大家发现,驯鹿的每一只蹄子都有两个较大的主蹄和两个较小的悬蹄。

　　"……所以说驯鹿属于偶蹄目,猪、骆驼、羊和牛也在偶蹄目中。更进一步说,驯鹿又属于偶蹄目鹿科中的驯鹿属,驯鹿是驯鹿属当中唯一的种,也就是驯鹿种。所以,对于驯鹿,从分类上来说,完整的表述是脊索动物门、哺乳纲、偶蹄目、

鹿科、驯鹿属、驯鹿种。"林奈站起身，拍掉腿上的雪，"这就是我的分类方法，我们可以用这个方法对所有的动物进行分类。"

"这个方法简直绝了！我终于明白这套分类系统在300年后的今天仍在使用的原因了。"鲁克说。

"300年？"

"您的学识太让人佩服了！不过，我有个小小的建议，要不要考虑用动物的腿来分类？"蒋方说。

"腿？"

鲁克一手掏出手机，一手拽着蒋方的胳膊："林奈先生，感谢您花这么多时间给我们讲解！我们先告辞了。"

一阵闪光后，大家又回到了森林保护区。

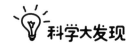
外·来入侵者

又是一个阳光明媚的清晨，宁宁和蒋方早早地来到鲁克家集合，准备继续调查。这时，宁宁神色慌张地跑了过来。

"怎么了，宁宁？你怎么看起来心事重重的？"何敏关心地问。

"我刚才上网看了一下本地新闻，本想看看有没有关于神秘野兽的最新消息。"

"怎么样？"鲁克问。

宁宁掏出手机，念道："家住公园路的李太太说，神秘野兽吓坏了她家的猫。家住森林巷的张先生说，他亲眼看到那只神秘野兽在翻弄他家的垃圾箱，把食物残渣翻得到处都是。家住湖畔大街的桑小姐说，她看到野兽到她家的菜园里偷菜。大家都认为这只神秘野兽给他们的生活带来了大麻烦！"

何敏闷闷不乐地说："没有一句话是有价值的！"

"不过，从某些角度来看，还是有点儿帮助的。"鲁克笑着说。

"怎么讲？"

"很显然，报道中提到的种种迹象都说明它不是本地动物，而是从别的地方过来的入侵者。"

"或许那就是一只厌烦了假装温驯的猫……"蒋方还在坚持着他的"猫"理论。

鲁克眼前一亮，说："我知道有个人肯定能帮我们解释清楚这件事。准备出发！"

"不用拿防晒霜或者大衣什么的吧？"

"蒋方，别犯傻了！那些都是虚拟的影像！"何敏说。

鲁克举起了手机。

一道闪光！

时空转换——

蒋方看着四周高大的树木："咦，咱们又回到了刚才的树林？"

"这里是英格兰牛津郡的威萨姆森林，现在应该是1958年的4月或者5月。"鲁克指着远处成片的紫罗兰色的花丛说，"月份是我猜的，因为我看到了风信子，它的花期就在4月到5月。"

嗖的一声，树丛中突然窜出来一只松鼠。比特蓄势待发，正要扑上去时，鲁克却一把将它拽了回来，轻轻地拍了拍它的头："小家伙，虚拟世界里的松鼠你可抓不到。"

27

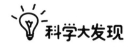

在身后不远处的花丛中，站着一位身穿毛呢西装的老人。他正在用双筒望远镜观察树冠。大家顺着老人的视线循去，看到有一只鸟在给窝里的幼鸟喂食。

"那是欧亚红尾鸲吧？"鲁克大声问。

听到鲁克的话，那位老人放下望远镜，笑着说："是的，看来你很了解鸟类嘛。威萨姆这里有很多欧亚红尾鸲，很适合我们开展研究。"

"您是动物生态学家埃尔顿吗？"鲁克流露出崇拜的目光。

"我是埃尔顿。有什么需要我帮忙的吗？"

鲁克回答："埃尔顿先生，最近我们家那边出了个烦心事，有一只神秘的野兽进入到住宅区，它不仅挖走了菜园子里的蔬菜，还把垃圾翻得到处都是。不光是居民，连宠物也吓得够呛。您说这是怎么回事呀？"

埃尔顿摸着下巴沉思了一会儿，说："孩子们，你们了解生态系统吗？"

蒋方猜测道："什么？声带系统？是录音机吗？"

埃尔顿大笑起来："哈哈，差得有点儿远！生态系统是自然界中生物与环境构成的统一整体，它们相互影响、相互制约，并在一定时期内处于一个动态平衡的状态。比如，这片树林就是一个生态系统。树林里的鸟、昆虫、松鼠、树木、花草，全都是这个生态系统的组成部分，它们都在发挥着各自的作用。"

宁宁轻声问："发挥各自的作用？您说的是食物链吗？"

"或许某些可怜的小虫子变成了上面那些家伙的小点心……但这只是生态系统的一个方面。"埃尔顿点点头，给大家仔细讲解起来，"比如，在生态系统中，蝴蝶给花儿授粉，花儿结出种子，长出新的花儿来；再比如，橡树可以给松鼠

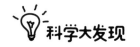

提供橡子作食物；而植物生长离不开空气、水、阳光和土壤等……也就是说，树林里不仅生物之间互相依存，生物和非生物之间也相互依存。"

"我感觉这像极了一张巨大的网，把各种不同的元素连接在了一起。"何敏说。

"可这和神秘野兽有什么关系呢？"蒋方问。

"别着急，接下来就说到正题了。要知道，健康的生态系统是靠微妙的平衡来维持的。如果有外来者入侵，它可能就会破坏这种平衡，使得生态系统变得十分脆弱。你们刚才所说的那个神秘野兽，就侵犯了周围社区的生态系统，打破了原有的平衡，所以现在才有了这么多麻烦。"

宁宁说："我从来没意识到咱们的住处也是个生态系统。埃尔顿先生说的确实很有道理！"

"给你们一个小小的建议——别责怪那只神秘野兽，它也许只是想尽力在你们这里生存下来。也许它和你们的邻居一样感到苦恼不堪，甚至更糟。所以，要有怜悯之心，你们可以跟踪并掌握它的行踪，努力尝试将它送回原有的生态系统，这样才能让你们的生活回归正常。"

"好的！谢谢您，埃尔顿先生。我们先走了。"鲁克说。

闪光的发现

一段时间过后，大家终于回到了鲁克家。

"好吧，我接受埃尔顿先生的推断，它不是猫。"蒋方无奈地说。

"这真是可喜可贺！"何敏嘲讽道。

"我承认，这只神秘野兽确实不像是本地的动物……至少应该是咱们不认识的动物……虽然我还是有点儿不敢相信……"

"那你觉得是什么动物呢？"宁宁问。

蒋方眼帘低垂，微微一笑："我相信，咱们现在追查的是一个全新的物种！"

"真是让我'长见识'了。"何敏说。

"这不是明摆着吗？所有人都不知道宁宁找到的那个奇怪的脚印是什么动物的啊。"

宁宁大笑着说："仅凭那个脚印就蹦出来个新物种？"

何敏双手摊开，无奈地说："蒋方，拜托别再异想天开了，好不好……"

　　鲁克倒没有直接否定蒋方的想法："我觉得，蒋方说的不无道理。我看网上说，最近被人们发现的新物种体形都很小，而且大多发现于雨林、沼泽等人迹罕至的地方。这只神秘野兽离人类这么近，体形还这么大……老实说，我感觉不太可能是新的物种。"

　　"但可能性还是有的，对吧？你刚才也是这么说的吧？"

　　"呃……"

　　"等等，刚才大家说到新物种，也就是说，地球上一直都有新物种被发现吗？"宁宁打破了沉默。

　　鲁克肯定地点点头。

　　宁宁兴奋地说："这太神奇了！那又是谁发现了这些新物种呢？"

　　"大多是野生动物学家发现的。走，我们找一位科学家探险去吧——我是说，虚拟探险！"

　　"那还用说？出发喽！"

　　"我也要去！"

　　"还有我！"

　　"汪汪！"

　　鲁克掏出了手机。

一道闪光！

时空转换——

闪光过后，大家来到了一片森林。这里的树木比森林保护区的树木更加茂密，四周满是鸟叫声和猴子的叫声。向上看，绝大部分的天空都被树冠挡住了，只有几束光线从树冠的缝隙透过来。这里又湿又热，露水从叶子上不停地滚落到地面，整圈整圈覆满苔藓的藤蔓在树枝间攀缘。

"这是哪儿呀？"何敏一边环顾四周，一边问。

鲁克说："这里是南美洲安第斯山脉东坡的热带雨林，在厄瓜多尔境内。这个地区的物种非常丰富，直到现在依然还有很多物种没有被发现呢。"

"那是什么？"宁宁指着黑暗处一个蜷伏的身影问道，她凝视着昏暗的森林，确信自己看到了什么东西。

比特紧盯着目标，嘴里呼噜呼噜地叫着。

蒋方战战兢兢地说："也许……是个还没有被发现的动物吧。"

鲁克说："不是啦！那是一位野生动物学家，是一个人。快来！咱们向她请教请教。"

这位科学家跪在树旁，正盯着一只缓慢爬行的动物。

"您好！"

孩子们的出现把这位科学家吓了一跳，"真是出乎意料！我完全没想到能在这里遇到其他人！"

虽然这里又湿又热，但这位科学家还是穿了长衣长裤还有靴子，把双臂和双腿都包裹得严严实实，显然是为了防止划伤和蚊虫叮咬。从她的装束来看，很像一位经验丰富的科学家。

宁宁睁大了眼睛，问道："您在寻找新物种吗？"

这位科学家大笑着说："是的，这是我工作的一部分。

我研究的是昆虫，我正在考察和研究这个地区的一些昆虫。"

宁宁开心地笑起来："很高兴认识您！我叫宁宁，我对发现新物种十分好奇。"

何敏指着科学家刚刚观察的那只昆虫问："您观察的那只昆虫真大啊！"这只昆虫呈金棕色，它的身体很长，样子非常漂亮，最让人印象深刻的是它背上那两块面积很大的绿色斑点。

"这应该是叩甲科的一种昆虫，这个词来自拉丁语，意思就是带着火。你能看出来为什么这么称呼它吧？在昏暗的森林里，这两块绿色斑点闪闪发亮，它在黑暗处真的是很闪亮呢。"

"就像萤火虫那样。"蒋方说。

科学家对宁宁说："你对发现新物种感兴趣，那你来的可真是时候，我研究了12年昆虫，还从来没见过这个样子的，我相信我们眼前的这只昆虫是一个新物种。"

宁宁兴奋地凑前一步仔细观察，认真地打量着它身上的每一处细节："这竟然是个新物种，我已经激动得浑身起鸡皮疙瘩啦。"

"哈哈！我和你有同样的感受，我现在也是这样。"

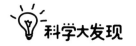

鲁克问："我们要给它取个名字吗？"

那位科学家说："是呀。我得先写一篇科学论文，详细描述这只昆虫。论文会发表出来——所有人都能读——别的昆虫学者也可以审阅。"她微笑着指着那只昆虫，"小家伙，为了你呀，我还有很多工作要做呢！"

"您准备管它叫什么呀？"蒋方问。

"名字中首先要说明它属于叩甲科，接下来的一部分要说明它的种，而这部分可以由我来决定。通常情况下，种的名称一般用拉丁语，或是听起来像拉丁语的词。"科学家解释说，"不过，在取名之前，我得先证明它并不是一个特殊个体。"

"特殊个体？您说的是基因突变吗？"何敏问。

一听到"基因突变"，蒋方顿时想起了他在科幻小说中读到的各种离奇故事。他刚要开口，突然感觉有什么东西在他的后背上爬来爬去，弄得他特别痒，而且无论用胳膊怎么扫都扫不到那个东西……

"小姑娘，你说的对，有些生物从生下来就跟同类不一样。基因决定生物的特性或特征，通常情况下，生物都会继承上一代的基因。不过，有些时候，基因也会遭到破坏或在遗传复制过程中出现问题，造成某些生物个体和同物种的其他生物在样貌上有所不同，我们把这种情况称作基因突变。"

"我明白了，也就是说，您发现的这只虫子也有可能是一个基因突变的已知物种。"何敏说。

"不排除这种可能。不过，我们如果能再找到一只和它一模一样的，就能完全确定它是新物种了。我们回营地聊吧。"她一边说一边脱去了防蚊虫装束。

蒋方可没心情听科学家的讲解，他还在用手臂狂扫后背，可就是找不到让他痒痒的"罪魁祸首"。现在，这个感觉停在他的脖子上……

"嘿！可抓到你啦！"蒋方喊道。大家惊奇地发现，在他手心里有个小东西，还在不停地爬来爬去，动作好像是在磕头。

科学家惊喜地喊道："哈！瞧瞧你发现了什么？！"

所有人都紧盯着蒋方的手心，原来，这只虫子和科学家在树根上发现的那只昆虫一模一样。

科学家轻轻地把虫子从蒋方的手指上提起来："这正是刚才那只昆虫的同类，这只看上去像是雌性的……小伙子，你叫什么名字？"

蒋方喃喃地说："蒋……蒋方。"

科学家说："好，就这样吧！蒋方，为了纪念你的发现，我决定把这个新物种取名为叩甲蒋尔方虫！"

地雀的食物

回来后，蒋方亢奋地说个不停："叩甲蒋尔方虫！这是用我的名字命名的新物种！我名垂青史啦！"

"拜托……你所名垂的只是虚拟的历史。"何敏白了一眼蒋方。

鲁克说："咱们这次虚拟探险的重点是，我们见证了新物种的发现，而且确实是在人烟稀少的地方。"

"不过对于那只神秘野兽，咱们得到了什么线索呢？"宁宁疑惑地问，"我们直到现在还是不知道它到底是什么动物。"

蒋方托着下巴犹豫了一会儿，说："也许是进化而来的？"

几个小伙伴都向蒋方投来困惑的目光。

"是呀！"蒋方滔滔不绝地讲起了他的想法，"我猜这只神秘野兽一定是个最新进化出来的物种……嗯……或许只有这个推测说得通了。想想看，这就像咱们昨天在史前海洋中看到的脊索动物，它们中的一部分最终进化成人类了呢。这只神秘野兽也许是别的什么动物——比如说一只小负

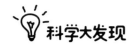

鼠——进化成为的另一种动物，它让家里的宠物害怕，而且还喜欢挖胡萝卜……"

"我长这么大还真没听到过这么荒谬的言论……好吧，蒋方，你真的把我说晕了。"何敏抱着双臂说。

"我倒是觉得蒋方的新思路有点儿意思，他刚刚说'进化'，可到底什么是进化呢？"鲁克不紧不慢地说，"我想，可能有个人能帮到咱们。"

机灵的宁宁赶快凑上前："再来一趟旅行？"

"我想一定是的！"

鲁克举起手机说道："准备出发！赶快露出你们的脸。"

"别挤别挤……给我留点儿地方嘛……"蒋方一边说，一边挤进了镜头。

一道闪光！

时空转换——

闪光过后，大家站在了一段鹅卵石小路上。这里的一侧是橡树，另一侧是整齐的篱笆。向前眺望，大家看到了整条山谷。正在大家赞叹眼前壮美的景色时，一位先生拖着缓慢的步伐走了过来，看样子似乎正在思考什么重要的事情。

鲁克说："现在是 1846 年，这里是达尔文在英格兰肯特

郡的住处，这位就是生物学家、进化论的奠基人查尔斯·罗伯特·达尔文。"

"他就是达尔文啊！我听说过！"宁宁兴奋地喊起来。

听到大家的交谈，达尔文一怔，抬起头问："谁在叫我？"

宁宁赶紧捂住嘴，怯生生地说："对不起，见到您，真是让我感到特别惊讶。"

这位伟大的生物学家头发有些稀疏，圆圆的脸庞上蓄着浓密的络腮胡。他打量着眼前这几个年轻的陌生人，说："我也很惊讶能在这里见到你们。要知道，我平时几乎不在我的'思考之路'上与人见面。这里可是我的私家花园。"

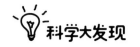

鲁克恭恭敬敬地说："抱歉打搅您思考问题了，先生。我们不会占用您太多的时间，我们只是想向您请教有关进化的问题……"

达尔文皱了皱眉，气愤地问道："你们到底是谁？你们怎么会知道我的理论？这个事我可从没告诉过别人……"

鲁克赶紧说："这可说来话长了……不过，我们保证，绝对不会告诉其他人。"

"你们最好说到做到！"达尔文摇了摇头，无奈地说，"是这样，我正在写一本关于进化论的书，我相信，这本书一旦出版，一定会让很多人吃惊的。当然，如果你们几个不泄密的话！"说着，他用严肃的目光扫了几个人一眼。

"放心吧，达尔文先生，我们谁也不告诉。"

"那好吧，你们现在对进化论了解多少？"达尔文问。

宁宁说："我只了解有些动物会随着时间的推进而发生变化。"

何敏补充道："可是我们并不了解变化的过程是怎样的，换句话说，就是不知道为什么会进化。"

"这可是我10多年来一直在琢磨的问题。"达尔文点点头，继续说，"我曾经跟随贝格尔号进行过一次环球考察。在考

察过程中，我们曾在科隆群岛逗留一阵子，这是位于南美大陆以西 1000 千米的一群岛屿，隶属于厄瓜多尔。在那里，我发现生活在不同岛屿的同一物种竟然显现出不同的变化，而这些变化与它们生活的岛屿的环境十分契合。"

"有什么不同？您具体指的是什么呢？"宁宁问。

"就拿科隆群岛一带不同小岛上的地雀来说吧，它们的样貌几乎完全相同，除了喙——最令人惊讶的是它们的喙有的大、有的小、有的粗、有的细。这个现象让我思考了很久。后来我发现，在不同小岛上的地雀，有的吃昆虫，有的吃嫩芽和水果，有的吃种子，有的吃仙人掌。它们根据所生活小岛的物产和环境选择自己的食物，久而久之，它们的喙便逐渐适应了它们的觅食习惯。来，看看这个。"

达尔文拿出一张纸稿，把它铺展开来，纸稿上画着 10 多个地雀的头部特写："你们发现了什么？"

"是不是动物能够通过进化更好地适应生存环境呢？"何敏说。

"小姑娘，你说的非常准确！"达尔文赞许道，"不过，你们有没有想过进化是如何发生的呢？"

"我想也许是地雀宝宝看到爸爸妈妈吃某种食物很困难，

43

主要吃叶子的　　主要吃种子的　　主要吃嫩芽和水果的

主要吃昆虫的　　主要吃小·肉虫的　　主要吃仙人掌的

所以它们努力长出了更适合吃这种食物的喙吧。"蒋方摸着下巴，边想边说。

"要真是这么简单就好了。可事实是，很遗憾，地雀并没有自己改变喙的形状的能力。"达尔文笑着说，"要研究这个问题，首先我们要弄明白两个问题，一个是所有的生物都被生存和繁育后代的本能所驱动，另一个是生物在繁衍下一代的过程中，后代有时会出现基因突变的情况。"

"基因突变？"宁宁一下子想起了刚才那位研究热带雨林昆虫的科学家说的话。

达尔文说："是的，就是这样！一些地雀幼崽的喙的形状天生与众不同。想象一下，在一个小岛上有很多很多的仙

人掌，生活在岛上的一只地雀由于基因突变，天生就有一个适合吃仙人掌的喙，它们也因此更适合在这个小岛上生存和繁衍……"

"久而久之，拥有这种喙的地雀的后代就比其他的多了，是吧？"何敏恍然大悟。

"是这样的。对生存有利的变异被保留了下来，而那些不适合的变异逐渐遭到淘汰。想想看，几千万年来这种选择一代又一代地进行着，终有一天，在这个小岛上生活的所有地雀的喙都是适应这个环境的了。"

"真让人惊讶！"宁宁感叹道。

"'自然选择'是我的进化理论的核心。"达尔文说。

蒋方好奇地问："您所说的这种进化过程一定很漫长吧？一种动物不会在一夜间突然变成另一种动物吧？"

"你这个问题问得非常好！进化的过程很漫长。我想你绝对不希望你的小狗突然之间就变成了一只猫，哈哈。"达尔文笑着说。

小狗比特惊恐地哼唧了几声，它似乎听懂了大家说的一些话。

"那简直太糟糕了，尤其是对它来说！"

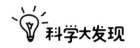

年代久远的骨头

午餐时间到了，小伙伴们从虚拟世界中回到了现实。鲁克一边把妈妈刚刚做好的点心分给大家，一边和朋友们讨论："我想我们有必要梳理一下这些知识和线索了。"

"咱们基本可以确定这只神秘野兽不是周边地区的动物，它很有可能是外来物种。"何敏说。

"并且它并不是一个刚刚被发现的新物种。"宁宁补充说。

"而且很有可能和其他的物种一样，是经过了很多世代进化的产物。"蒋方叹着气说，他还有些不甘心。

"咱们的收获可真不少！大家还有什么想法吗？比如它到底是个什么动物呢？"

宁宁率先开口："我觉得它可能是个十分稀少的动物，也许是整个种群的最后一只了……"

蒋方不以为然："我觉得不太可能，你们想，那只神秘野兽既然能每天晚上到处捣乱，它一定很强壮、很勇敢。这样的物种肯定不会灭绝的。"

"我不确定这种说法对不对。书上说，在地球上出现的

物种，有99%都已经灭绝了。在这些灭绝的动物里，肯定有很强壮、很勇敢的动物，可这也无济于事。"鲁克说。

蒋方皱起眉说："可是达尔文和咱们说过，适应性强的动物更有机会生存和繁衍，因为它们能更好地适应环境呀。"

"那可不一定。"鲁克摆了摆手，"我觉得，达尔文要表达的意思大概是最能够适应其所处环境的生物才最有可能生存下来。无论这种生物多么强壮和勇敢，如果它无法适应身边的环境，还是注定会灭亡的！就拿恐龙来说吧，这类生物是在6500万年前灭绝的，而那时许多恐龙可都是身形巨大、强壮有力的呢。"

"那它们又是怎么灭绝的呢？"何敏追问。

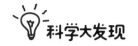
　　"许多科学家认为恐龙的灭绝与小行星碰撞地球或全球火山活动有关，这些灾变造成地球环境和气候的剧烈变化。令人遗憾的是，恐龙无法适应突变的环境，最终惨遭淘汰……"

　　"仔细想想，在人类出现之前，千百万物种都已经灭绝，而咱们从来没见过它们，这真让人难过。"宁宁有些伤感。

　　"不过，灭绝是这几百年才被提出的概念，在那以前，大家都坚定地认为动物是不会灭绝的。"鲁克笑着说，"第一个提出动物灭绝可能性的是法国古生物学者乔治·居维叶，他在1796年提出了灾变论。古生物学是一门研究化石的学科，如果大家感兴趣，午餐后咱们就出发。"

　　小伙伴们不约而同地点点头。

　　饱餐一顿后，大家身边的影像变成了一个昏暗的房间，室内的装潢陈列很有启蒙时代的风格，中间的桌子上放着一块巨大的史前动物化石和一个装满了动物骨头的大托盘。一位身着华贵长袍的先生正借着摇曳的烛光仔细地研究着那块化石。大家在化石上清晰地看到了一个大象头颅的轮廓，其中那根长长的、弯月状的象牙十分显眼。

　　鲁克小声说："那是乔治·居维叶先生……呃，我说的可不是那块化石！"

比特吸了吸鼻子，似乎发现了什么"猎物"。它蹬起后腿，飞身扑向书柜下面，叼起一块骨头。鲁克见状赶紧上前去制止，鲁克和比特互不相让，一时间弄得屋内喧闹不已。

"怎么回事？"居维叶放下烛台，转过身来，当他看到那块骨头被一只狗叼着时，失声惊叫起来，"快！快！快！快把那块骨头从狗的嘴里拿出来！那块骨头已经有1000多年了！"

鲁克终于从比特的嘴里夺回了骨头，他赶紧擦干净骨头上的口水，恭恭敬敬地把那根骨头放回了书架："真的很抱歉，先生！"

"你们为什么要打扰我的工作？"居维叶有些生气地问。

"先生，我们并不想打扰您……我们只是想向您请教有关灾变论的问题……"鲁克小声地回答。

"灾变论，哼！这种命运正好适合你的小狗！"他虽然嘴上这么说，但同时向大家眨了眨眼睛，显然已经不再生气了。"哈哈哈！开个玩笑。原来你们是对我的新理论感兴趣呀。不过大家并不太接受我的说法，每当我谈及动物灭绝理论时，大家都毫无科学根据地指责我、辱骂我。"

"我想，有的时候，人们只是不愿意听到真话而已。"

蒋方安慰居维叶。

居维叶投来期许的目光，仿佛找到了知音："你说的完全正确，年轻人。但是现在他们可能不得不承认我所说的这些真话了，因为最近我找到了能够支持我的理论的强有力的证据。"

"是什么重大发现呢？"宁宁好奇地问。

居维叶指着那块巨大的化石说："就是这块化石，是在北美洲挖掘的，它看起来很像是一只普通大象头颅的化石，

对吗？"

几个小伙伴纷纷点头。

"错了！它的下巴与现存的任何一种大象的都不一样。它是一种已经灭绝的大象。当然，很多人并不赞同我这个观点，他们总是说'居维叶先生，它一定存在于地球的某个角落，只是我们没有发现而已……'这简直是一派胡言！想想看，一种体形如此庞大的动物，怎么可能不被人发现呢？"

"那您又是如何断定它已经灭绝的呢？"何敏追问道。

"因为在那个时代发生了大灾难，这场大灾难的证据可以在化石里找到，具体说就是那里曾发生过巨大的洪灾，大量物种因此而灭绝。这个理论同样能解释清楚最近人们发掘出来的那些奇怪的巨型蜥蜴的化石，而这种蜥蜴早已绝迹了。"

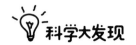

宁宁小声地问鲁克："他刚才说的巨型蜥蜴，是不是恐龙呀？"

鲁克点了点头，小声回答："是的。居维叶生活的年代，人们还不知道恐龙呢，'恐龙'这个词是1842年才出现的。"他转向居维叶说，"感谢您跟我们分享您的理论。祝您好运，我们衷心地希望您的观点可以被更多人接受。"

"非常乐意跟你们分享，我的朋友们。再会！"说完，居维叶便转过身继续研究起他的化石。

在变换场景的过程中，蒋方感慨道："我真是由衷地为居维叶喝彩，他是第一个意识到物种灭绝的人。而且他还要在别人认为他是错误的情况下，努力坚持自己的观点，这真的很不容易。"

鲁克点了点头："是呀，虽然以现在的眼光来看，居维叶的观点并非完全正确，但他是首先意识到在大灾难发生时，动物会灭绝的科学家。在地球上，物种灭绝的情况每时每刻都在发生，它们可能受到环境变化、疾病、捕食等因素的影响而灭绝。如今，人类的一些行为正在把同在地球上的一些物种推向灭绝的边缘。"

重大突破

　　不知不觉中，"神秘野兽事件"已经发生了4天，小伙
伴们仍然在为找到真相而努力。经过几天的了解和学习，大

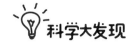

家认为有必要再到"案发现场"展开一次现场勘查。

何敏嘱咐大家："咱们再仔细看一看鲁克家后院周边有没有什么线索,来一次'地毯式排查',千万别漏掉了什么重要信息。"

——大家仔细搜寻了地面,可惜地面十分干燥,"神秘野兽"并没有留下什么印迹。

——大家再次查看了折断的花枝,但奇怪的是,那上面并没有留下皮毛等线索。

——当大家把目光再次投向栅栏上的抓痕时,宁宁忽然发现了一个细节:神秘野兽的抓痕虽然很宽,但是并没有那么深。她推断这个野兽的爪子宽度要比眼前的抓痕稍大,而且应该不会像猫的爪子那么锋利。

这时,大家突然听到了比特的叫声。他们转过头来赶忙观瞧,此时的比特正围着栅栏旁的一个灌木丛闻来闻去。

"怎么了,小家伙?"鲁克蹲了下来,然后往灌木丛那边看去,紧接着喊道,"快来看!栅栏上有个洞!"

大家发现这段栅栏破损很严重,好像有什么东西从这里猛冲了过去。要不是比特,这个一直被灌木丛遮挡的地方还真没有引起大家的注意。

"干得好，比特！"鲁克抚摸了几下比特的下巴，"我想神秘野兽可能就是从这儿冲进了院子……"

"栅栏外面是哪里呀？"宁宁问。

"那边是一片野草丛和矮树林，穿过去就是小溪了，小溪的下游就是咱们前天去的森林保护区。"

忽然，比特汪汪叫了两声，然后钻进灌木丛，从那个栅栏的破洞钻了出去。

"它好像闻到了什么。快，跟上它！"何敏机敏地说。

小伙伴们跳出栅栏，来到野草丛中。大家看到比特正围着一片泥地又蹦又跳，还时不时兴奋地汪汪叫两声。

一个脚印！

"和我在森林保护区里发现的那个脚印一样！看，那个大脚趾和其他脚趾是分开的。"说着，宁宁翻出手机里的那张照片给伙伴们看，两个脚印无论是形状还是大小都一模一样。

"这一定是神秘野兽的脚印。"鲁克抱起比特，"干得好，你立功了。这绝对是个重大的突破！"

比特汪汪叫了两声，还摇起了尾巴，看得出它也很高兴。

蒋方接着说道："太棒了！那么，现在咱们只需要找出

这个脚印是哪种动物的就行了吧？"

"快来看这个！"何敏有了重大发现，她蜷在栅栏的洞口边，拾起栅栏桩子上的一片碎屑，碎屑上面好像还挂着什么东西。

鲁克小心翼翼地把那片碎屑，还有那上面挂着的东西接过来，放到手心上仔细观察。原来这是一小撮黑色的毛，那片碎屑是一小块指甲，

"这肯定不是比特的。"

"一定是神秘野兽的。"何敏说，"我想应该是神秘野兽从洞口爬过去时留下的。"

宁宁高兴得快要跳起来了："我们的努力没有白费！咱们现在终于找到了神秘野兽的脚印和毛。"

"也许还有更多的发现！"鲁克指了指毛

发一端的白色小圆点，说，"这是毛囊，是环绕在毛发根部的皮肤组织。"

蒋方好奇地问道："那么，毛囊有什么用呢？"

"这里面有DNA呀，它携带有基因呢！"

"基因？"宁宁皱着眉头，努力回忆昨天那位研究昆虫的科学家说的话，"基因决定生物的特性或特征，通常情况下，生物都继承了上一代的基因……"

"对！我们只需要确定基因信息，就可以揭开神秘野兽的面纱啦。"鲁克掏出手机，迅速在屏幕上拨动了两下，"它终于派上用场了，这是我为'虫洞'应用程序开发的新功能——显微镜。"

鲁克把手机镜头对准毛囊，然后在屏幕上按下确认按钮，屏幕上显示出毛囊的图像。接着他拨动"放大倍数"滑块，随着图像放大，大家清晰地看到了毛囊细胞，不一会儿，大家又看到细胞的内部。

"这是细胞核，DNA就在里面。"

图像继续放大，大家惊讶地看到细胞核的内部漂浮着许多交缠在一起的线段，样子很像拉长的英文字母"X"。

"这就是染色体，染色体里包含着DNA。"鲁克将镜头

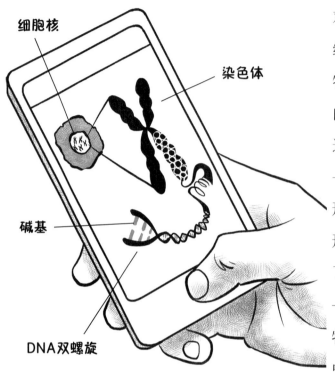

细胞核

染色体

碱基

DNA双螺旋

对准其中一条染色体继续放大，一条特别特别长的螺旋形的弯曲链呈现在了眼前，这个链条看上去就像一条没有尽头的螺旋形梯子，"这个螺旋形的梯子就是 DNA 了。那些梯子横杆是一种名为碱基的化学物质。书上说，DNA 中有 4 种碱基，它们通过不同的排列组合方式形成了遗传密码。"

蒋方抱着胳膊，疑惑地问："密码？可是我们不会解读密码呀。这可怎么办？答案近在眼前，我们却不知道是什么。"

"我也不会，但是每种动物都有自己的基因序列，我们如果拿它同已知动物的基因序列进行比较，就能确认它到底是什么了！"

神秘野兽现身

鲁克迫不及待地跑回房间，把门反锁上，他要用实验设备将刚刚获取的 DNA 与其他动物的 DNA 进行比对。

何敏、蒋方和宁宁在地下室静静地等待鲁克的比对结果，他们既兴奋又期待。比特呜呜地低声咕噜，在地下室的门口走来走去。

蒋方说："我觉得比特想去外面透透气。"

"要是把鲁克一个人留在这里的话，我觉得不太好吧……虽然咱们现在什么忙也帮不上……"何敏蹲下来抚摸了几下比特，"小家伙，别着急，谜题马上就要揭晓了。"

"说不定咱们能做点儿更厉害的。"宁宁凑过来说，"咱们把神秘野兽引过来，怎么样？"

"说下去……"

"嗯，你们想，神秘野兽曾经到桑小姐家的菜园偷菜，这至少说明蔬菜是它的一种食物。"宁宁比画着说道，"不如，我们在路上放些桑小姐家菜园种的蔬菜。"

"吃蔬菜的神秘野兽……看来还是个素食者……无论如

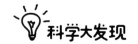

何，这个结论好像让人感觉没那么可怕了。"蒋方长吁了一口气。

说干就干，三人赶紧跑去菜市场，凑钱买了一些胡萝卜、西葫芦、土豆和圆白菜，然后回到厨房，请鲁克爸爸帮忙将蔬菜切成了小块。

在鲁克爸爸切菜的时候，他们还是没忍住走进鲁克的房间，询问对比的进展。

"怎么样了？"

"可能还需要一段时间，现在还没匹配上呢。"鲁克埋着头回答，含含糊糊地说了两句大家没听懂的专业术语。

何敏、宁宁和蒋方把蔬菜装好，然后带着比特来到了院子，从栅栏的洞口钻了出去。他们穿过野草丛和矮树林，然后顺着小溪向下游走去，来到了森林保护区。

"开始行动！"

从森林保护区开始，他们开始往地上撒蔬菜，他们一边撒，一边往回走，最后在鲁克家后院的中央停了下来，把剩余的蔬菜堆在了院子中央。

大家回到屋里，在窗边"放哨"。

太阳要落山了。

此时的鲁克疲惫地靠在椅子上揉着眼睛，他看电脑屏幕的时间太长了。何敏、蒋方和宁宁出去的这段时间里，他发现了一些线索，可无论怎么研究，都感觉这个结论是不可能的。于是，他决定再尝试一次……

突然，比特呜呜地叫了几声。和4天前一样，它又一次竖起毛发，抽动鼻子，龇出尖牙，对着门口一阵狂叫。蒋方探了探身子，眯着眼睛望向远处，小声地说："看，灌木丛在抖动，有东西过来了！"

"真的有东西过来了！"何敏无法掩饰自己激动的心情，她压低声音说。

当神秘野兽闯入大家视野时：

——何敏、蒋方和宁宁齐刷刷地跳了起来……

——鲁克冲出房间，跑下楼，大声喊着："就是它！就是它！"

可当鲁克说完这句话之后，发现屋子里竟然一片安静，

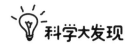

何敏、蒋方和宁宁，就连比特似乎也没有听到他的叫声，他们都在紧紧地盯着窗外……

"嗨，神秘野兽是……"

"黑猩猩！"宁宁、何敏和蒋方异口同声地大声说。

鲁克大吃一惊："你们是怎么知道的？"说完，他顺着大家的视线向外看去——一只黑猩猩正坐在草地中央，开心享用着美味。

鲁克赶紧去找爸爸，他们拨打了报警电话。接警的女警官叮嘱大家千万不要接近那只动物，警察和动物专家很快就会来到现场。

鲁克也加入到"放哨"的行列，大家一起观察那只黑猩猩。

只见它一会儿吃一口胡萝卜，一会儿嚼一口西葫芦，看上去非常惬意。不过，鲁克爸爸精心栽培的那些花可遭殃了，它们成了黑猩猩的餐后甜点。

这时，警察到了，同行的还有几位动物园管理员。

动物园管理员告诉大家，这只黑猩猩名叫贡贝，是5天前从动物园逃出来的……

在动物园管理员的建议下，几名警察蹑手蹑脚地绕到栅栏后面，阻断了贡贝的逃跑路线。动物园管理员把一个大大的板条箱挪进了院子，然后全神贯注地盯着那只黑猩猩，轻柔地诱导它走进箱子中。大家从黑猩猩的眼神中感觉到，它好像认出了这位管理员，但仍然保持着警戒。

忽然，动物园管理员似乎想到了什么。她从包里拿出一个破破烂烂的泰迪熊。贡贝眼前一亮，它伸出胳膊，晃晃悠悠地走了过去，看来它已经完全确定眼前这个人就是它的管理员。

贡贝抱着泰迪熊，一屁股坐进了板条箱，舒服地依偎在一个角落里，显然已经厌倦了5天的冒险生活。

动物园管理员把板条箱装进货车后，转身来到鲁克家，对大家说："感谢你们找到了贡贝。这些门票就作为答谢大

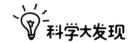

家的礼物吧。"

"动物园门票？太棒啦！谢谢您！"宁宁欢呼道。

几天后，大家聚在一起，准备去动物园看看贡贝。在动物园里，他们看到美洲豹懒洋洋地卧在树上，看到犀牛妈妈和犀牛宝宝，看到海豹跳出水面抓住饲养员扔出的鱼，看到了巨型昆虫那令人胆寒的姿态……

当然，最让大家期待的还是黑猩猩馆和他们想念已久的贡贝。大家开心地看到几只黑猩猩围在贡贝身边，其中一只黑猩猩用手臂搂着贡贝，另外的黑猩猩在它身边又跳又叫，非常兴奋。起初，贡贝看起来有点儿受宠若惊，但没过多久它就和几只黑猩猩一起开心地嚼着美味的食物，在大石头和攀登架上爬来爬去。

"还是回家好，瞧它多开心啊！"

"是啊，有家人、有朋友，这才是最幸福的。"

"最重要的是还有好吃的。"

"看呀，那只黑猩猩在给贡贝理毛呢。我觉得它在森林保护区那会儿肯定特想有同伴给它理毛！"

"也不知道它会不会和同伴们讲一讲它的冒险之旅。"

…………

　　大家你一言我一语地聊着天。

　　忽然，贡贝抬起头望向这几个孩子。大家都觉得从它的眼神中感受到了什么——或许是它的谢意吧。

　　"你们说，它还记得咱们吗？"何敏问。

　　"当然记得。"鲁克不假思索地回答。

　　"可是，昨天晚上它来到后院时，天已经黑了呀。而且我们为了不打扰它，还特意关上了厨房的灯。"宁宁说。

　　"我想它应该在那之前就知道咱们了……还记得去森林保护区那天吗？难道你们没感觉有东西总是盯着咱们吗……"

和科学家面对面

亚里士多德

亚里士多德（公元前384—前322），古希腊哲学家、科学家、教育家。作为一位百科全书式的科学家，他几乎对每个学科都做出了贡献。他为了发展他的动物分类法，研究了哺乳动物、鸟类和鱼类，有500多种。

卡尔·冯·林奈

卡尔·冯·林奈（1707—1778），瑞典生物学家，动植物双名命名法的创立者，植物分类学的奠基人。他曾游历欧洲各国，拜访著名的植物学家，搜集大量植物标本。

查尔斯·埃尔顿

查尔斯·埃尔顿（1900—1991），英国动物生态学家，他创造性地研究了动物自然种群的数量变动规律，建立了生态学重要的原则。

查尔斯·罗伯特·达尔文

查尔斯·罗伯特·达尔文（1809—1882），英国生物学家、进化论的奠基人。他在著作《物种起源》中提出的生物进化论是现代生命科学的基础。

乔治·居维叶

乔治·居维叶（1769—1832），法国古生物学家，解剖学和古生物学的创始人。他建立了灭绝的概念，首先将化石标本定义为与现生物种具有相等分类学地位的"已灭绝物种"，并提出灾变论，解释地貌形成原因。

Zac Newton Investigates: Beast and Bugs © 2018 World Book, Inc. All rights reserved.
This book may not be reproduced in whole or part in any form without prior written permission from the Publisher.
WORLD BOOK and GLOBE DEVICE are registered trademarks or trademarks of World Book, Inc.
Chinese edition copyright: 2021 China Children's Press & Publication Group All rights reserved. This edition arranged with WORLD BOOK, INC.

著作权合同登记　图字：01-2020-4642 号

图书在版编目（ＣＩＰ）数据

神奇多样的动物 ／（美）保罗·哈里森著 ； 许若青译. -- 北京 ： 中国少年儿童出版社，2022.1
（科学大发现）
ISBN 978-7-5148-7003-9

Ⅰ．①神… Ⅱ．①保… ②许… Ⅲ．①动物—少儿读物 Ⅳ．①Q95-49

中国版本图书馆CIP数据核字(2021)第183903号

SHENQI DUOYANG DE DONGWU
（科学大发现）

出版发行：中国少年儿童新闻出版总社
中国少年儿童出版社

出 版 人：孙 柱
执行出版人：赵恒峰

策划编辑：李晓平　　　　　　　　　　　　　　　责任编辑：曹 靓
　　著：[美]保罗·哈里森　　　　　　　　　　　责任印务：刘 澂
　　译：许若青　　　　　　　　　　　　　　　　责任校对：栾 鋆
装帧设计：安 帅　于歆洋　张 鹏　　　　　　　　　　　　李 伟

社　　址：北京市朝阳区建国门外大街丙 12 号　　　邮政编码：100022
编 辑 部：010-57526329　　　　　　　　　　　　总 编 室：010-57526070
发 行 部：010-57526568　　　　　　　　　　　　官方网址：www.ccppg.cn

印刷：北京圣美印刷有限责任公司

开本：710mm×1000mm　　1/16　　　　　　　　　　印张：4.75
版次：2022 年 1 月第 1 版　　　　　　　　　印次：2022 年 1 月北京第 1 次印刷
字数：80 千字　　　　　　　　　　　　　　　　　印数：1—6000 册

ISBN 978-7-5148-7003-9　　　　　　　　　　　　定价：29.80 元

图书出版质量投诉电话010-57526069，电子邮箱：cbzlts@ccppg.com.cn